WALKING DEAD

Du même scénariste :

- *Invincible* (trois tomes) - dessin de C. Walker & R. Ottley

Quelques titres à découvrir si vous aimez Walking Dead :
- *The Goon* (six tomes) - Eric Powell
- *Wormwood* (1 tome) - Ben Templesmith
- *Spawn* (sept tomes) - Todd McFarlane

Retrouvez tout l'univers de la série sur MySpace : myspace.com/walkingdead_labd

Walking Dead tome 9 : *Ceux qui restent* © & ™ 2009 Robert Kirkman. Tous droits réservés.
Version originale (*The Walking Dead* #49 à 54 / TPB vol.9 : *Here we remain*) publiée aux USA par Image Comics.

© 2009 Guy Delcourt Productions pour la présente édition.

Dépôt légal : octobre 2009. I.S.B.N : 978-2-7560-1725-9
Première édition

Illustration de couverture : Charlie Adlard (*The Walking Dead* #51)
Traduction : Edmond Tourriol/Makma
Lettrage : Moscow★Eye
Conception graphique : Trait pour Trait

Imprimé et relié en septembre 2009
sur les presses de l'imprimerie Aubin, à Ligugé

www.editions-delcourt.fr

WALKING DEAD

9. CEUX QUI RESTENT

SCÉNARIO
ROBERT KIRKMAN

DESSIN
CHARLIE ADLARD

TRAMES & NIVEAUX DE GRIS
CLIFF RATHBURN

DELCOURT

LES PRINCIPAUX

RICK
STATUT : vivant
Suite à l'assaut du Gouverneur sur le pénitencier, Rick vient d'assister à la mort de la plupart de ses compagnons. Sévèrement atteint psychologiquement, il est désormais l'un des seuls rescapés, avec son fils.
RELATIONS :
Lori (femme) et Carl (fils)
1re apparition :
Walking Dead 1

SHANE
STATUT : décédé
(*Walking Dead 1*)
Shane était le coéquipier de Rick. Amoureux de Lori, il a tenté de tuer Rick, mais a été abattu par Carl.
1re apparition :
Walking Dead 1

LORI
STATUT : décédée
(*Walking Dead 8*)
Lori était la femme de Rick. Elle a été abattue alors qu'elle tentait de s'enfuir avec Judy, leur nouveau-né, loin de la tuerie orchestrée par le Gouverneur.
RELATIONS :
Rick (mari) et Carl (fils)
1re apparition :
Walking Dead 1

CARL
STATUT : vivant
Fils de Rick et Lori. Carl fait partie des quelques rescapés du massacre du pénitencier. Malgré son jeune âge, il sera d'un soutien vital pour son père. Semble développer un instinct naturel pour la survie.
RELATIONS :
Rick (père), Lori (mère) et Judy (sœur)
1re apparition :
Walking Dead 1

ALLEN
STATUT : décédé
(*Walking Dead 4*)
Hanté par la mort de sa femme à tel point qu'il délaissait de plus en plus ses deux enfants, Ben et Billy, Allen a perdu la vie suite à une morsure de zombie, alors qu'il explorait une nouvelle zone du pénitencier.
RELATIONS :
Donna (femme) et Ben & Billy (fils)
1re apparition :
Walking Dead 1

DONNA
STATUT : décédée
(*Walking Dead 2*)
Donna était connue pour être la personne la plus franche du camp. Elle a été tuée par des zombies dans l'État du Wilshire.
RELATIONS :
Allen (mari) et Ben & Billy (fils)
1re apparition :
Walking Dead 1

BEN & BILLY
STATUT : inconnu
Fils jumeaux d'Allen et Donna. Ils sont relativement discrets. Plus encore depuis la mort de leur mère. Ils sont désormais à la charge de Dale et Andrea.
RELATIONS :
Allen (père) et Donna (mère)
1re apparition :
Walking Dead 1

GLENN
STATUT : inconnu
Glenn et Maggie ont pris la décision de quitter le pénitencier à bord du van de Dale, quelques heures avant l'attaque du Gouverneur.
RELATIONS :
Maggie (femme)
1re apparition :
Walking Dead 1

DALE
STATUT : inconnu
Dale a pris la tête du groupe après la première attaque du Gouverneur. Il veut convaincre le maximum de personnes de quitter le pénitencier pour trouver un nouveau refuge. Glenn, Maggie, Andrea, les jumeaux Ben et Billy, ainsi que la petite Sophia, sont du voyage.
RELATIONS :
Andrea (petite amie)
1re apparition :
Walking Dead 1

ANDREA
STATUT : inconnu
Elle fait partie du groupe qui a choisi de suivre Dale hors du pénitencier, juste avant l'attaque. Elle a néanmoins convaincu Dale de revenir prêter main-forte aux autres survivants durant l'assaut du Gouverneur.
RELATIONS :
Amy (sœur) et Dale (petit ami)
1re apparition :
Walking Dead 1

AMY
STATUT : décédée
(*Walking Dead 1*)
Amy était la jeune sœur d'Andrea. Elle a trouvé la mort lors d'une attaque de zombies contre le camp.
RELATIONS :
Andrea (sœur)
1re apparition :
Walking Dead 1

CAROL
STATUT : décédée
(*Walking Dead 7*)
Suite à sa rupture, Carol s'était beaucoup rapprochée du couple de Rick et Lori. Sereine en apparence, elle vivait en réalité mal sa solitude et a mis fin à ses jours en se jetant dans les bras d'un zombie.
RELATIONS :
Sophia (fille) et Tyreese (ex-petit ami)
1re apparition :
Walking Dead 1

SOPHIA
STATUT : inconnu
Depuis la mort de sa mère, Carol, Sophia reste prostrée dans son mutisme, et ce malgré tous les efforts de Carl.
RELATIONS :
Carol (mère) et Carl (petit ami)
1re apparition :
Walking Dead 1

TYREESE
STATUT : décédé
(*Walking Dead 8*)
Capturé durant l'assaut du pénitencier par les hommes du Gouverneur, Tyreese meurt décapité par ce dernier, devant les yeux de ses anciens compagnons, impuissants.
RELATIONS :
Julie (fille), Carol (ex-petite amie) et Michonne (petite amie)
1re apparition :
Walking Dead 2

JULIE
STATUT : décédée
(*Walking Dead 3*)
Julie vivait une grande histoire d'amour avec Chris. Les deux adolescents ont commis un double-suicide pour être réunis à jamais. Chris l'a abattue avant qu'elle ne puisse lui tirer dessus.
RELATIONS :
Tyreese (père) et Chris (petit ami)
1re apparition :
Walking Dead 2

CHRIS
STATUT : décédé
(*Walking Dead 3*)
Chris a été tué par Tyreese tout de suite après que celui-ci découvre le cadavre de sa fille lors de leur double-suicide raté. Seul Rick a été témoin de la scène.
RELATIONS :
Julie (petite amie)
1re apparition :
Walking Dead 2

OTIS
STATUT : décédé
(*Walking Dead 6*)
Otis a récemment perdu la vie lors d'une attaque massive contre le pénitencier. Devenu zombie à son tour, il a été tué par Rick d'une balle dans la tête.
RELATIONS :
Patricia (ex-petite amie)
1re apparition :
Walking Dead 2

HERSHEL
STATUT : décédé
(*Walking Dead 8*)
Hershel perd Billy durant l'assaut. Abattu par le désespoir, il tombe prostré devant le corps de son dernier fils et implore le Gouverneur de l'achever.
RELATIONS :
Shawn, Arnold, Billy (fils), Lacey, Maggie, Rachel et Susie (filles)
1re apparition :
Walking Dead 2

PERSONNAGES

MAGGIE
STATUT : inconnu
Maggie fait partie du groupe qui a décidé de quitter le pénitencier avec Dale, avant l'attaque du Gouverneur.
RELATIONS :
Hershel (père), Shawn, Arnold, Billy (frères), Lacey, Rachel et Susie (sœurs) et Glenn (petit ami)
1re apparition :
Walking Dead 2

BILLY
STATUT : décédé (Walking Dead 8)
Billy a été touché à la tête alors qu'il tentait de s'enfuir avec son père. Il est mort sur le coup.
RELATIONS :
Hershel (père), Shawn, Arnold (frères), Lacey, Maggie, Rachel et Susie (sœurs)
1re apparition :
Walking Dead 2

LACEY
STATUT : décédée (Walking Dead 2)
L'aînée des filles d'Hershel. Elle a été tuée par les zombies enfermés dans la grange de la ferme d'Hershel.
RELATIONS :
Hershel (père), Shawn, Arnold, Billy (frères), Maggie, Rachel et Susie (sœurs)
1re apparition :
Walking Dead 1

ARNOLD
STATUT : décédé (Walking Dead 2)
Cadet des fils d'Hershel. Tué par son frère zombie, Shawn, que son père gardait enfermé dans la grange de la ferme.
RELATIONS :
Hershel (père), Shawn, Billy (frères), Lacey, Maggie, Rachel et Susie (sœurs)
1re apparition :
Walking Dead 2

RACHEL
STATUT : décédée (Walking Dead 3)
La cadette des filles d'Hershel. Assassinée par Thomas, dans le salon de coiffure de la prison.
RELATIONS :
Hershel (père), Shawn, Arnold, Billy (frères), Lacey, Maggie et Susie (sœurs)
1re apparition :
Walking Dead 2

SUSIE
STATUT : décédée (Walking Dead 3)
La benjamine des filles d'Hershel. Assassinée par Thomas, dans le salon de coiffure de la prison.
RELATIONS :
Hershel (père), Shawn, Arnold, Billy (frères), Lacey, Maggie et Rachel (sœurs)
1re apparition :
Walking Dead 2

PATRICIA
STATUT : décédée (Walking Dead 8)
Elle a été abattue alors qu'elle cherchait un meilleur abri lors de l'attaque. Elle a assisté à la mort d'Axel, dans les bras duquel elle s'était réconfortée peu de temps auparavant.
RELATIONS :
Otis (ex-petit ami)
1re apparition :
Walking Dead 2

AXEL
STATUT : décédé (Walking Dead 8)
Après avoir mis en place une bonne partie des défenses, il meurt, abattu au tout début de l'assaut du pénitencier.
RELATIONS : aucune
1re apparition :
Walking Dead 3

THOMAS
STATUT : décédé (Walking Dead 3)
Tueur en série. Il a tué Rachel et Susie, et a tenté d'assassiner Andrea avant que Rick n'intervienne et le batte à mort. C'est Maggie qui l'a achevé d'une balle.
RELATIONS : aucune
1re apparition :
Walking Dead 3

ANDREW
STATUT : disparu
Un autre détenu, condamné pour possession de drogue, vente, etc. Amoureux de son compagnon de cellule, Dexter. À la mort de ce dernier, il s'enfuit hors de la prison pour une destination inconnue.
RELATIONS :
Dexter (petit ami)
1re apparition :
Walking Dead 3

DEXTER
STATUT : décédé (Walking Dead 4)
Détenu lui aussi, pour le meurtre de sa femme et de son amant. Il a tenté de mettre Rick et les siens hors des murs de la prison, avec l'aide d'Andrew. Il a été abattu par Rick lors d'une attaque de morts-vivants.
RELATIONS :
Andrew (petit ami)
1re apparition :
Walking Dead 3

MICHONNE
STATUT : inconnu
Elle disparaît peu de temps après la capture de Tyreese par le Gouverneur et laisse son sabre sur place. Malgré ce que prétendent les hommes du Gouverneur, il est plus que probable qu'elle soit encore vivante.
RELATIONS :
Tyreese (petit ami)
1re apparition :
Walking Dead 3

LE GOUVERNEUR
STATUT : décédé (Walking Dead 8)
Alors qu'il mène l'assaut sur le pénitencier, le Gouverneur révèle sa véritable nature lorsqu'il exécute froidement Tyreese puis ordonne à l'une de ses tireuses de tuer Lorie et son bébé. Il sera abattu par cette même tireuse et jeté en pâture aux morts-vivants.
RELATIONS :
Père d'une petite fille
1re apparition :
Walking Dead 5

DOCTEUR STEVENS
STATUT : décédé (Walking Dead 5)
Médecin de la communauté de Woodbury. Entièrement dévoué à sa tâche, il a assisté au changement de comportement du Gouverneur et regrette l'homme qu'il est devenu. Il est mort en aidant Rick et ses compagnons à s'échapper de Woodbury.
RELATIONS :
Alice (assistante)
1re apparition :
Walking Dead 5

ALICE
STATUT : décédée (Walking Dead 8)
Après avoir protégé Lori et sa fille Judy, elle est abattue par le Gouverneur alors qu'elle tentait de s'enfuir avec Rick.
RELATIONS :
Docteur Stevens (titulaire)
1re apparition :
Walking Dead 5

DANS L'ALBUM PRÉCÉDENT :

Le Gouverneur a lancé un second assaut sur le pénitencier avant que Rick et son groupe aient eu le temps de se ressaisir. Seuls Dale, Glenn, Maggie et quelques autres sont parvenus à quitter le pénitencier avant l'attaque. Le carnage a bien eu lieu. La véritable survie commence alors pour Rick et son fils…

SHLOKK!

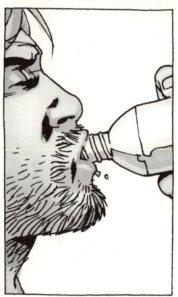

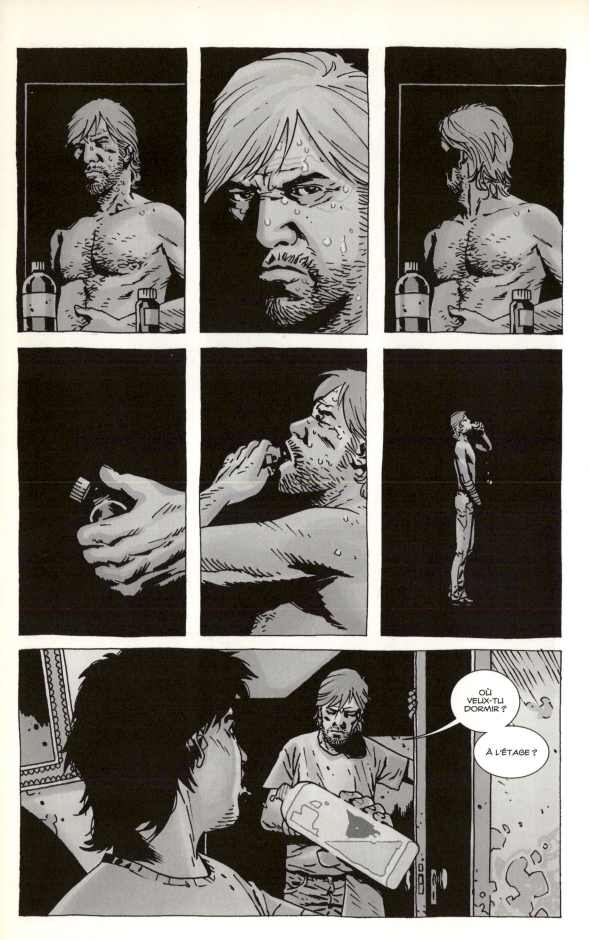

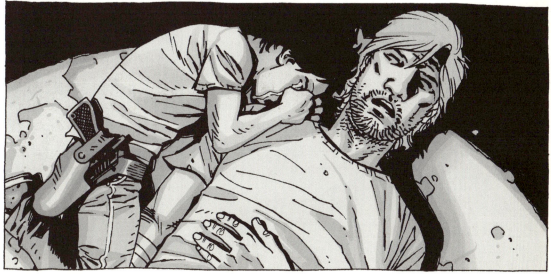

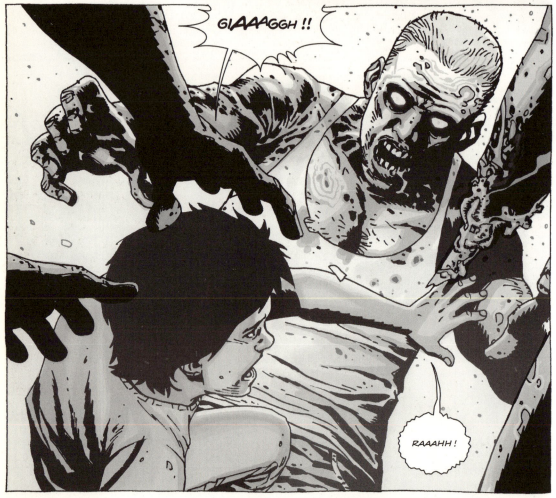

JE VIENS DE TUER TROIS RÔDEURS, P'PA.

TROIS.

JE LES AI TUÉS TOUT SEUL.

SANS PERSONNE.

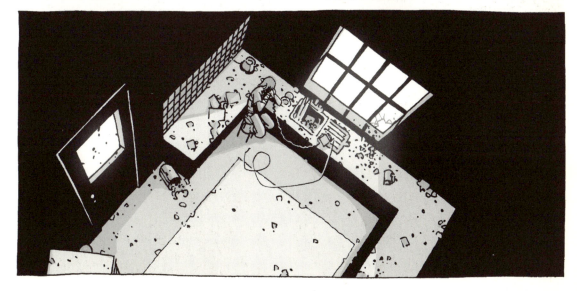

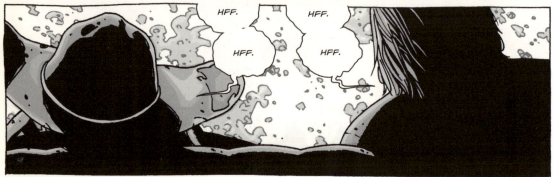

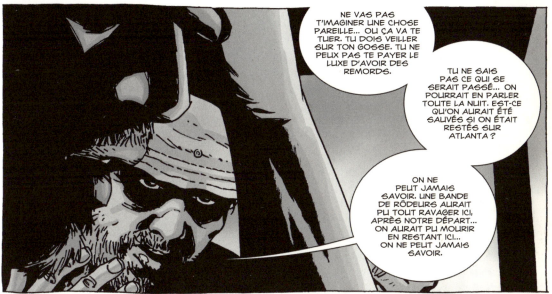

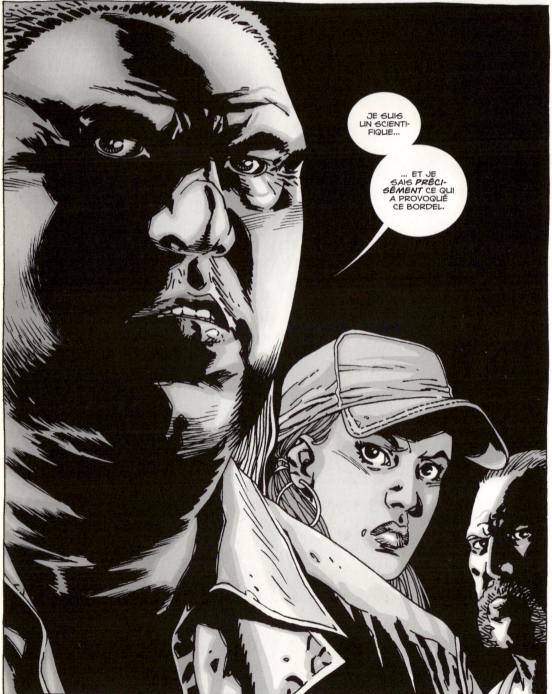

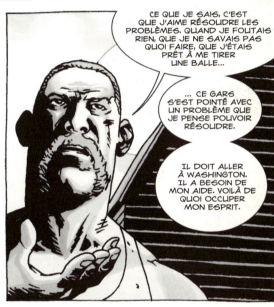

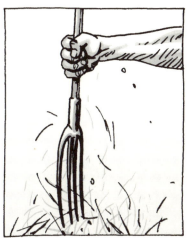

À SUIVRE DANS LE TOME 10.

GALERIE D'ILLUSTRATIONS
PAR CHARLIE ADLARD

Illustration de couverture de *The Walking Dead* #53

Illustration de couverture de *The Walking Dead* #54